OMMARIO

Marisa Vescovo

In copertina:
Natura morta con comò
(1882-1887),
particolare;
Monaco,
Neue Pinakothek.

Nella pagina a fianco:
Nel parco
dello Château-Noir
(1900);
Londra,
National Gallery.

A destra:
Una moderna Olympia
(1873 circa),
particolare;
Parigi,
Musée d'Orsay.

Viaggio al centro della realtà

Qui sopra:
Paul Cézanne
in una foto del 1861.

Nella pagina a fianco:
La montagna Sainte-Victoire vista dai Lauves
(1904-1906),
particolare;
Filadelfia,
Museum of Art.

ON C'È DUBBIO che quello che nell'arte chiamiamo movimento moderno abbia inizio dalla decisione personale e isolata di un pittore francese di vedere il mondo "obiettivamente". Paul Cézanne, in effetti, desiderava vedere il mondo, o quella piccola parte che riusciva a coglierne, "come un oggetto" non mediato da alcun intervento razionale o irrazionale. I suoi amici impressionisti, invece – con i quali Cézanne espose una prima volta alla mostra inaugurale del nuovo movimento, nel 1874, e successivamente alla terza mostra del 1877 – avevano visto il mondo "soggettivamente", cioè come si presentava ai loro sensi, sotto luci diverse e da diversi punti di vista. Ne derivava che da ogni "impressione" doveva nascere un'opera d'arte unica. Cézanne voleva, al contrario, oltrepassare la superficie brillante e ambigua delle cose e penetrare nella loro realtà "eterna": «Talvolta i rivoluzionari sono uomini che hanno una sola e semplice idea», dice Herbert Read (1959) «e proprio la costanza, e la determinazione con cui la perseguono la rende "potente"».

Prima di Cézanne, l'artista, per risolvere sulla tela i problemi legati alla rappresentazione della realtà, si valeva di facoltà extravisive: l'immaginazione, che gli permetteva di trasformare gli oggetti del mondo visibile con la creazione di uno spazio ideale occupato da forme ideali; o l'intelletto, che gli consentiva di costruire una prospettiva nella quale dare all'oggetto una sua precisa collocazione. Ma il sistema prospettico non garantisce la rappresentazione esatta e veritiera di ciò che si presenta alla percezione: in un certo senso, per l'arte la realtà è come la luce, qualcosa che si può vedere ma non afferrare. Cézanne, pur conoscendo bene "l'arte dei musei" e rispettando i tentativi dei suoi predecessori di venire a patti con il mondo naturale, non disperava di poter riuscire dove gli altri avevano fallito: "realizzare", indirizzare cioè nella direzione della realtà, della vera essenza, le sue sensazioni di fronte alla natura.

Se è vero che la biografia del maestro di Aix si intreccia con la storia dell'impressionismo, la sua arte, invece, lo rende simile a un'isola in mezzo al mare. Cézanne sosteneva che la percezione umana era per sua natura "confusa" («quelle sensazioni confuse che portiamo con noi dalla nascita», scriveva all'amico e collezionista Joachim Gasquet), ma credeva anche che mediante la concentrazione e la ricerca l'artista potesse mettere ordine in questa confusione, e che l'arte fosse essenzialmente un ordine strutturale entro il campo delle sensazioni visive. Pensava all'arte come a una «teoria sviluppata e applicata in contatto con la natura» e parlava di rappresentare il mondo naturale «per mezzo del cilindro, della sfera e del cono, tutto nella giusta prospettiva, in modo che ogni lato di un oggetto sia rivolto verso un punto centrale». «Per ottenere un progresso», sosteneva, «conta solo la natura, e l'occhio viene

Il lago di Annecy (1896); Londra, Courtauld Institute Galleries.

La veduta del lago di Annecy col castello di Duingt fu eseguita da Cézanne durante un soggiorno a Talloires, nell'estate del 1896.

addestrato mediante il contatto con essa. Diventa concentrico guardando e lavorando. Voglio dire che in un'arancia, in una mela, in una ciotola, in una testa vi è un punto culminante. E questo, nonostante il terribile effetto della luce e dell'ombra, e delle sensazioni del colore, è sempre più vicino al nostro occhio; gli orli degli oggetti retrocedono verso un centro sul nostro orizzonte».

Cézanne si rendeva perfettamente conto delle contraddizioni insite nel processo dell'arte, un problema già noto ai greci, come si può dedurre da quanto scrive Platone riguardo alla "mímesis", all'imitazione. Per il maestro di Aix, l'artista doveva aspirare a restituire l'immagine del visibile senza alcuna delle alterazioni dovute all'emozione o all'intelletto né alcuno degli attributi accidentali dovuti all'atmosfera o magari alla luce. Il risultato era ciò che Cézanne chiamava «astrazione», una rappresentazione incompleta del campo visivo, un "cono", per così dire, nel quale gli oggetti potessero raggiungere l'ordine e la coesione. Ecco cosa intendeva Cézanne per «una costruzione dal vero» e per «realizzazione di un motivo»; questo fece di lui il "primitivo" di un'arte nuova, sebbene la sua idea non sia mai stata quella di dipingere in modo rozzo o ingenuo ma, piuttosto, quella di rimettere l'intelligenza, le idee, la scienza, la prospettiva e la tradizione a contatto col

Casa su una collina (1904-1906); Washington, National Gallery of Art.

Quest'opera offre un esempio maturo di una caratteristica portante del linguaggio pittorico di Cézanne, quella scomposizione della superficie del dipinto secondo una struttura a mosaico a cui l'artista fece ricorso con sempre maggiore consapevolezza ed efficacia a partire dal 1880.

mondo naturale che sono chiamate a comprendere, di confrontare con la natura le "cose" che ne sono scaturite.

Il genio di Cézanne fa sì che le deformazioni prospettiche, quando le si guardano nell'insieme, e in virtù dell'impianto complessivo del quadro, cessino di essere visibili per se stesse; esse contribuiscono soltanto, come fanno nella visione naturale, a dare l'impressione di un ordine nascente, di un oggetto che sta comparendo, che si sta coagulando sotto i nostri occhi. Quanto al contorno degli oggetti che, come linea che li delimita, non è un dato del reale ma esiste solo geometricamente, Cézanne lo risolve in una "modulazione" colorata: è lo sguardo che, rinviato dall'una all'altra cosa, ci fa avvertire, nei suoi quadri, la nascita di un contorno. Cézanne pensava che, per restituire il mondo nella sua densità, il disegno dovesse risultare dal colore; e ciò perché il mondo gli appariva come una massa senza lacune, un organismo di colori attraverso i quali le fughe della prospettiva, i contorni, le rette, le curve, si disponevano come linee di forza e la dimensione spaziale si costituiva soprattutto come vibrazione. Ma la soluzione raggiunta da Cézanne potrebbe sembrare ancora troppo strutturata, troppo geometrica, se non si cogliesse esattamente il significato di "modulazione", una parola ben presente nel vocabolario dell'artista.

Paesaggio provenzale (1904-1906).

Nella pittura di Cézanne sembra agire, secondo l'interpretazione di J.-F. Lyotard (1979), «un principio sotterraneo di de-rappresentazione». È quanto appare illustrato in quest'opera tarda in cui l'amato paesaggio della terra natale viene dissolto nei frantumi della superficie-mosaico.

Per Cézanne, "modulazione" o "modellazione" non indicava un uso del colore che, come accadeva per esempio nelle opere di Renoir, modellasse l'oggetto rappresentato; il termine si riferiva, piuttosto, all'adattamento di una zona di colore a un'altra zona a essa adiacente: un processo continuamente teso ad armonizzare la molteplicità con l'unità. L'effetto, solido e monumentale, dipendeva, come Cézanne aveva scoperto, da una paziente "opera di muratore" unita a una sapiente visione "architettonica" complessiva. Il risultato era l'apparente scomposizione di una superficie colorata uniforme secondo una struttura a mosaico all'interno della quale, tuttavia, tutto ciò che veniva isolato e scisso nei suoi piani costruttivi si integrava poi nell'insieme dell'opera. Questo procedimento, applicato quasi in ogni dipinto realizzato da Cézanne dopo il 1880, divenne sempre più chiaro con l'evolversi della sua arte ed è assai evidente in opere quali *Il lago di Annecy*, *Château-Noir*, *La rupe rossa*, nelle molte tele dedicate alla montagna Sainte-Victoire o negli ultimi acquerelli.

Cézanne morì nel 1906, a sessantasette anni. Un mese prima della sua scomparsa, scriveva: «Mi trovo in uno stato di disordine cerebrale, in così grave agitazione, che ho temuto, a un certo momento, che la mia debole ragione non ce la facesse [...] Ormai mi sembra di star meglio e di pensare più giusto nell'orientamento dei miei studi. Arriverò allo scopo tanto

Château-Noir (1904-1906); New York, Museum of Modern Art.

Lo Château-Noir, una proprietà nella campagna di Aix, ispirò a Cézanne diverse opere in cui spesso, come in questo caso, il contrasto tra l'ocra dell'edificio e il verde profondo della vegetazione del parco offre un impatto visivo di sicuro effetto.

cercato e così a lungo perseguito? Studio sempre dal vero e mi sembra di fare lenti progressi». La pittura era tutto il suo mondo e la sua maniera di esistere, una ricerca continua e affannosa che non solo dovette scontrarsi con le incomprensioni e i pregiudizi dei contemporanei (nel 1905, per esempio, un critico scrisse che quella di Cézanne era una «pittura di bottinaio ubriaco», mentre lo scrittore Emile Zola, che pure era amico di Cézanne fin dall'infanzia e fu il primo a trovarlo geniale, finì col definirlo un «genio abortito»), ma si trovò a lottare anche con i problemi di ordine psicologico che afflissero l'artista per tutta la vita.

Collere e depressioni avevano preoccupato gli amici di Cézanne fin dai tempi del collegio Bourbon, a Aix, dove era entrato nel 1852. Sette anni più tardi, deciso a diventare pittore, l'artista provenzale continuava a dubitare del proprio talento e non osava chiedere al padre, un ex cappellaio divenuto banchiere, di mandarlo a Parigi, meta sognata di ogni aspirante artista dell'epoca. Le molte lettere di Zola gli rimproveravano instabilità di carattere, debolezza, indecisione. L'ansia difficilmente lo abbandonava. Dalla Parigi finalmente raggiunta, scriveva: «Non ho fatto che cambiar posto, ma la noia mi ha seguito». Non tollerava la discussione perché lo affaticava e perché non sapeva mai dire le sue ragioni. A cinquantadue anni si ritirò a Aix per vivere e dipingere nell'ambiente che meglio si confaceva al suo temperamentoo, ma anche per ritrovare i luoghi rassicuranti della sua infanzia dove lo aspettavano premurose la madre e la sorella.

In un famoso saggio dedicato all'artista provenzale, Maurice Merleau-Ponty (1962) sostiene che la mancanza di serenità nei rapporti con le persone, l'incapacità di fronteggiare nuove situazioni, la fuga nelle abitudini, la scelta di vivere in un ambiente che non ponga problemi, la rigida opposizione tra teoria e pratica sono tutti sintomi che inducono a parlare di "costituzione morbosa". «L'idea di una pittura "dal vero"», afferma il filosofo francese, «verrebbe a Cézanne dalla sua stessa debolezza. La sua estrema attenzione al colore, alla natura, il carattere disumano della sua pittura (diceva che un viso va dipinto come un oggetto), la sua devozione al mondo visibile, non sarebbero che una fuga dal mondo umano, l'alienazione della sua umanità».

Nel romanzo *L'Oeuvre* (1886), Zola si ispirò a Cézanne per il personaggio di Claude Lantier, descritto come un artista che si impone l'arduo compito di rappresentare l'irrappresentabile e fallisce nel suo intento: uno scacco che nelle intenzioni dello scrittore voleva rispecchiare in modo emblematico la crisi dell'intero movimento impressionista nei confronti del quale l'atteggiamento di Zola, che per molto tempo ne era stato un entusiastico sostenitore, era decisamente mutato.

Cézanne reagì con una fredda lettera di cortesia a quell'opera che lo riguardava così intollerabilmente e la pubblicazione dell'*Oeuvre* segnò inevitabilmente la fine della grande amicizia che da lunghi anni legava i due artisti: in Lantier, Cé-

Nella pagina a fianco:
La montagna Sainte-Victoire (1900-1902); Parigi, Louvre, Cabinet des dessins.

A destra:
La rupe rossa (1900 circa); Parigi, Musée de l'Orangerie.

La roccia squadrata sulla destra ha quasi la funzione di una quinta che serve a introdurre alla folta vegetazione restituita da una ricca superficie-mosaico strutturata dal colore. Quest'ultimo è per Cézanne una tra le componenti fondamentali di un dipinto, come testimoniano le sue stesse parole: «Non c'è che una via per rendere tutto, per tradurre tutto: il colore. Il colore è biologico, [...] il colore è vivo, lui solo rende vive le cose».

zanne vedeva «colui che ha ucciso la possibilità stessa del paesaggio»; perciò, ritenendosi, al contrario, «la coscienza stessa del paesaggio», non poteva accettare di riconoscersi nel protagonista di quel romanzo.

La riflessione critica di Maurice Merleau-Ponty e quella di Jean-François Lyotard trovano uno specifico terreno di confronto nella valutazione dell'opera pittorica di Cézanne che, nei testi in cui viene affrontata, risulta variamente intrecciata alle considerazioni dei due filosofi sul rapporto tra arte e psicoanalisi. Sia Merleau-Ponty che Lyotard riconoscono, nell'opera di Cézanne, una ricerca intesa a sottrarsi alle categorie dominanti del pensiero occidentale. Da ciò lo scontro con pregiudizi e incomprensioni talmente grandi da insinuare nel pittore addirittura il dubbio paradossale che la novità della propria arte fosse legata a un modo di dipingere che dipendeva soltanto da un difetto alla vista.

L'apprezzamento di Merleau-Ponty per l'opera di Cézanne sembra nascere soprattutto dall'opinione che nella pittura moderna – della quale il maestro di Aix è ritenuto il profeta – l'artista attinge alla vita percettiva, all'esperienza corporea in modo più diretto e consapevole di quanto non accadesse in precedenza.

La via indicata e intrapresa dal pittore provenzale esprimerebbe quindi, secondo Merleau-Ponty, il tentativo di sottrarsi alle grandi dicotomie affermatesi con la filosofia cartesiana: «Non serve a nulla contrapporre le distinzioni fra anima e corpo e fra pensiero e visione», scrive il filosofo francese, «poiché Cézanne ritorna appunto all'esperienza primordiale donde tali nozioni sono tratte e che presenta inseparabili». È questo il significato che Merleau-Ponty coglie, per esempio, al fondo dei ripetuti tentativi di Cézanne per discostarsi dalla prospettiva geometrica – fissata in epoca rinascimentale e dominante fino all'inizio del nostro secolo – della quale erano evidenti i legami con il predominio dell'"esprit" e la relativa svalutazione dei sensi che costituivano uno dei cardini del pensiero moderno e trovavano proprio nella filosofia di Descartes la loro più compiuta teorizzazione. «Le ricerche di Cézanne nel campo della prospettiva», sottolinea Merleau-Ponty, «scoprono, in virtù della loro fedeltà ai fenomeni, quanto la psicologia recente doveva formulare. La prospettiva vissuta, quella della nostra percezione, non è la prospettiva geometrica o "fotografica"».

Affrontando a sua volta il problema della prospettiva nell'opera di Cézanne, Lyotard prende le distanze dalla posizione di Merleau-Ponty. In effetti, sottolineando come le ricerche di Cézanne sulla prospettiva racchiudano una critica della rappresentazione e come, quindi, abbiano in sé «un principio sotterraneo di de-rappresentazione», Lyotard è sì disposto ad ammettere che Merleau-Ponty «perfettamente a ragione faceva di questo principio l'intero nocciolo dell'opera di Cézanne», ma contesta il fatto che «la sua analisi restava debitrice di una filosofia della percezione che lo portava a vedere nel disordine cézanniano la riscoperta del vero ordine del sensibile, e il sollevamento del velo che il razionalismo cartesiano e galileiano avevano gettato sul mondo dell'esperienza».

Per Merleau-Ponty, la pittura di Cézanne rivela «un mondo senza familiarità in cui non ci si trova bene, che vieta ogni effusione umana»; ciò, tuttavia, non impedisce al filosofo francese di affermare che «solo un uomo, per l'appunto, è capace di questa visione che va sino alle radici, al di qua dell'umanità costituita». Lyotard, dal canto suo, vede agire sul terreno del desiderio, anziché su quello della percezione, la rivoluzione innescata da Cézanne nei confronti dei paradigmi del pensiero occidentale. A suo avviso, l'opera del maestro di Aix, contenendo un «principio sotterraneo di de-rappresentazione», sovverte la funzione della pittura – che a partire dal Rinascimento era quella della rappresentazione – e con ciò finisce per sviluppare un «effettivo spostamento del desiderio di dipingere». Afferma Lyotard: «Il lavoro critico iniziato da Cézanne, proseguito e allargato da Delaunay e Klee, dai cubisti, da Malevič e

Qui sotto:
La montagna Sainte-Victoire (1894-1900); Cleveland, Museum of Art.

Strada in curva (1900-1906); Washington, National Gallery of Art.

Altri due esempi che servono a illustrare i due caratteristici tratti della struttura a mosaico e della "de-rappresentazione" che di opera in opera emergono sempre più decisamente nella fase matura della produzione di Cézanne.

Kandinskij, mostra come non si trattasse più di produrre un'illusione fantasmatica di profondità su uno schermo trattato come un vetro, ma di porre invece in rilievo le proprietà plastiche (linee, punti, superfici, tonalità e colori) di cui la rappresentazione si serve solo per "cancellarle", come se non si trattasse più di esaudire il desiderio con l'illusione, ma di deluderlo metodicamente, mostrandone i meccanismi».

Nella rappresentazione, insomma, è essenziale la realizzazione dell'irrealtà, il "fantasma"; nell'ultimo ventennio del secolo scorso, invece, l'oggetto si viene raffigurando, secondo Lyotard, come «staccato da ogni legge simbolica». Ciò è quanto avrebbero saputo cogliere Marx nel campo dell'economia e Freud in campo psicoanalitico, con il concetto di libido; ed è anche quanto si sarebbe manifestato, in campo pittorico, con la volontà di dipingere un'opera d'arte "assoluta", priva cioè di ogni valore referenziale.

Ritratto dell'artista da giovane

Nella pagina a fianco:
Madame Cézanne nella serra (1891-1892); New York, Metropolitan Museum of Art.

Qui sopra:
rue de L'Opéra, a Aix-en-Provence, in una foto del secolo scorso.

Al numero 23 di questa strada, il 19 gennaio 1839 nacque Paul Cézanne.

AUL CÉZANNE NACQUE a Aix-en-Provence il 19 gennaio 1839 da una famiglia di origine quasi certamente italiana che da una cittadina del Piemonte alle falde del Monginevro, Cesana Torinese, si era trasferita in Francia almeno dal XVI secolo e già all'inizio del Settecento risultava stabilita a Aix.

Fu appunto in quella città che nel 1848 Louis-Auguste Cézanne, il padre di Paul, fondò con un socio, dopo aver praticato per anni e con successo il mestiere di cappellaio, la Banca Cézanne e Cabanol. Paul venne dunque allevato negli agi di un ambiente borghese, in seno a una famiglia la cui situazione economica avrebbe permesso al futuro artista di non nutrire soverchie preoccupazioni per l'avvenire, consentendogli inoltre di non dover dipendere sul piano economico, a differenza di molti suoi colleghi, dalla vendita dei quadri.

Nella città natale, Paul fece i primi studi tra il 1844 e il 1849; quindi, sempre a Aix, frequentò la scuola Saint-Joseph e nel 1852 entrò al collegio Bourbon dove si diplomò brillantemente nel 1858. Là conobbe Emile Zola – che curiosamente aveva, in disegno, voti migliori del compagno – e ne divenne grande amico: la prima amicizia fraterna, che sarebbe risultata fondamentale per la sua vocazione di artista; un legame suggellato da un dono "profetico" del giovane Zola a Paul che una volta aveva difeso l'amico a suon di pugni: un paniere di mele. I due ragazzi trascorrevano le vacanze scorrazzando nei paraggi di Tholonet, Château-Noir, la cava Bibémus, tutti luoghi che, con la montagna Sainte-Victoire, ai piedi della quale si trovavano, diventeranno temi ricorrenti della pittura di Cézanne.

Negli anni dell'adolescenza, Paul sembrava più interessato alla letteratura che al disegno; imparava a memoria Victor Hugo, scriveva componimenti in versi ispirandosi ad Alfred de Musset, idolo suo e di Zola: è in questo spirito romantico e a contatto di compagni stimolanti come lo scultore Philippe Solari, lo scrittore Henri Gasquet e il critico d'arte Antony Valabrègue che maturò la sua vocazione pittorica. Il giovane Paul prese a frequentare il museo di Aix, dove poté vedere qualche bel dipinto del Seicento – in particolare *I giocatori di carte* di Louis Le Nain (v. p. 22) – e nel 1856 si iscrisse ai corsi di disegno di Joseph Gibert all'Ecole des Beaux-Arts della sua città. Molti dei disegni di quel periodo rivelano grande facilità nell'adeguarsi allo stile accademico e notevoli progressi nella padronanza della tecnica, senza che ciò comporti l'aggiunta di qualcosa di personale, né tantomeno di rivoluzionario.

Di sicuro, fu quando Zola partì per Parigi, nel 1858, lasciando un grande vuoto dietro di sé, che il giovane Paul si aggrappò con forza all'idea di consacrare la sua vita all'arte. La fitta corrispondenza subito stabilitasi tra i due amici conta moltissime lettere di Cézanne zeppe di versi, disegni, acquerelli. Alla fine del 1861, la svolta decisiva: Louis-Auguste Cézanne, da sempre contrario alla carriera artistica del figlio, cedette accordando a Paul il permesso di trasferirsi a Parigi (furono la sorella Marie e il padre stesso ad accompagnarlo) e assegnandogli perfino un modesto mensile.

A Parigi Cézanne non mancò di visitare il Louvre (dove poté apprezzare Caravaggio e Velázquez) e le mostre del Salon, spazio espositivo ufficiale della pittura contemporanea. Zola, che gli faceva da guida, lo fece iscrivere all'Académie Suisse, frequentata da tutti i giovani pittori in cerca di compagni e di modelli. Là Paul incontrò i giovani Edouard Manet e Claude Monet e, soprattutto, Camille Pissarro che lo incoraggiò a perseverare nella sua vocazione. Ciononostante, il rapporto di Cézanne con Parigi fu lungo e difficile e risentì notevolmente dei dubbi e delle incertezze di Paul riguardo al proprio talento artistico. Durante quel primo soggiorno parigino, l'insicurezza riprese immediatamente quota. Cézanne non era contento del proprio lavoro (su un ritratto di Zola, per esempio, si accanì a lungo senza risultato: alla fine lo distrusse per disperazione). Presto dovette ammettere con il padre il proprio insuccesso: tornò a Aix e accettò perfino di impiegarsi nella banca paterna.

Ma il demone della pittura tornò ben presto a farsi sentire. Cézanne riprese a frequentare la scuola di disegno di Aix e si fece attrezzare uno studio nella casa di campagna che il padre aveva acquistato al Jas de Bouffan. Infine ritornò a Parigi dove lo attendeva un evento importantissimo per gli sviluppi del gusto artistico del tempo: al Salon des Refusés del 1863 Cézanne fu tra i pochi ad apprezzare *Le Déjeuner sur l'herbe* di Manet, un dipinto rivoluzionario che all'epoca fu sbeffeggiato da pubblico e critica. Nel 1864, una mostra lo convinse definitivamente della grandezza di Delacroix, che era già un suo modello, portandolo a non dubitare più della propria vocazione. Delacroix era per Cézanne una sorta di divinità, un "temperamento" da opporre a Ingres e ai pittori ufficiali del Salon, la manifestazione annuale che costruiva o distruggeva reputazioni in un mondo che non aveva ancora scoperto i mercanti. In quel periodo, pur non facendo alcuno sforzo per piacere, Cézanne era in rapporti di amicizia con Pissarro, Bazille, Renoir, Sisley: artisti che sarebbero diventati famosi, ma che per il momento dovevano ancora combattere con la fame. Paul partecipava alle riunioni del Café Guerbois, dove quei giovani pittori si ritrovavano attorno alla figura carismatica di Manet, ma non divenne per questo né parigino, né mondano.

Madame Cézanne nella poltrona gialla (1890-1894); New York, Metropolitan Museum of Art.

La modella Hortense Fiquet, che Cézanne sposò nel 1886 dopo una lunga convivenza e la nascita di un figlio, posò per molte delle opere del marito, affrontando pazientemente le centocinquanta sedute che in media erano necessarie all'artista per completare un ritratto.

A quegli anni risale anche il suo incontro con Hortense Fiquet, la modella che sarebbe poi diventata sua moglie e gli avrebbe dato un figlio. Dolce e modesta, Hortense posò per diverse opere, tra cui *Madame Cézanne nella poltrona gialla*, del 1890-1894, o *Madame Cézanne nella serra*, del 1891-1892, accettando pazientemente di essere tiranneggiata da un artista "dittatoriale" che, in media, costringeva a centocinquanta sedute di posa per un ritratto (una natura morta, d'altronde, richiedeva una lavorazione più o meno altrettanto impegnativa). I primi anni della sua storia con Hortense, un rapporto a cui Louis-Auguste Cézanne si oppose fino a poco prima di morire (alla morte del padre, nel 1886, Paul ereditò una cospicua fortuna), rappresentarono un periodo delicato e difficile. Cézanne lo superò soprattutto grazie all'aiuto di Pissarro che nel 1872 invitò la famigliola a Pontoise, dove si era stabilito, e fu prodigo di preziosi consigli nei confronti dell'amico, incitandolo a schiarire la sua tavolozza e a liberarsi del suo "io" per dare voce alla natura. Dapprima Cézanne visse in un albergo con moglie e figlio. Poi si trasferì nelle vicinanze, a Auvers-sur-Oise, in casa del dottor Gachet, uno dei rari estimatori e acquirenti dei quadri degli impressionisti. Tra Pontoise e Auvers-sur-Oise Cézanne visse due anni dedicandosi anche all'incisione.

Nel 1874, fu soprattutto su insistenza di Pissarro che il pittore provenzale accettò di esporre nello studio del fotografo Nadar, a Parigi, alla prima mostra della Société Anonyme des artistes, peintres, sculpteurs, graveurs, una cooperativa di giovani artisti poi passati alla storia col nome di impressionisti (dal titolo di un quadro presentato da Monet: *Impression, soleil levant*). In quell'occasione Cézanne riuscì a vendere qualcosa, ma questo non significò il successo e la fama, cosa della quale certamente non dovette stupirsi Manet, leader riconosciuto della nuova corrente, che paradossalmente non volle aderire alla neonata cooperativa anche per non figurare accanto a Cézanne, da lui definito «un muratore che dipinge con la sua cazzuola». Qualche anno dopo, nel 1877, Cézanne accettò di partecipare, con diciassette opere, anche alla terza mostra impressionista, ma nuovamente i consensi sperati vennero a mancare, con l'unica eccezione del giovane critico Georges Rivière.

Ritiratosi nel 1878 all'Estaque, nella sua terra natale, Cézanne continuò a mandare regolarmente i suoi quadri al Salon dove furono sempre rifiutati, tranne nel 1882, quando il pittore Guillemet, suo amico e membro della giuria del Salon di quell'anno, lo fece ammettere come suo allievo. Nel rifugio dell'Estaque, o nella solitudine del Jas de Bouffan, Paul dipingeva con furia selvaggia le nature morte, i paesaggi, i ritratti che riempiono le sue tele. Uno dei suoi modelli preferiti era suo zio Dominique che posò, in costumi diversi, per un certo numero di opere tra cui *L'uomo col berretto di cotone* o *Lo zio Dominique in abito da monaco*, entrambe del 1866 circa. I conflitti psichici, le tensioni familiari, le difficoltà del rapporto di Cézanne con la propria arte e le esperienze parigine, così disorientanti, si riversarono in grandi composizioni come *L'orgia*, realizzato attorno al 1870. Questo banchetto orgiastico, sebbene concepito nella tradizione di scene grandiose e movimentate come *Le nozze di Cana* di Veronese o *La morte di Sardanapalo* di Delacroix (entrambi al Louvre), rivela tuttavia il bisogno di

Qui sopra:
L'uomo col berretto di cotone (1866 circa); New York, Metropolitan Museum of Art.

In alto:
Lo zio Dominique in abito da monaco (1866 circa).

A destra:
L'orgia
(1870 circa).

Ispirato alla scena del festino di Nabucodonosor descritto nella *Tentazione di sant'Antonio* di Gustave Flaubert, il dipinto ha tra i suoi referenti il quadro di Veronese riprodotto qui sotto: oltre alla disposizione della tavola e dei convitati, si noti la presenza delle colonne sulla sinistra e della scultura in alto, sul fondo.

Qui sotto:
Paolo Veronese,
Le nozze di Cana
(1562-1563),
particolare;
Parigi,
Louvre.

Cézanne di proiettare su una scena immaginaria i propri conflitti (da quello col padre a quello tra carne e spirito), le laceranti contraddizioni che alimentavano la sua battaglia interiore, le ossessioni sessuali e le inibizioni dalle quali cercava di liberarsi attraverso l'arte. Alla ricerca di un materiale che gli consentisse di esprimere in modo sempre nuovo il conflitto che lo agitava, Cézanne trovò ricchi spunti nelle opere di Baudelaire e Flaubert, così come nei romanzi di Zola: opere come

Nella pagina a fianco:
Donna con caffettiera
(1890-1895);
Parigi,
Musée d'Orsay.

A destra:
Ritratto
di Louis-Auguste
Cézanne,
padre dell'artista
(1866);
Washington,
National Gallery
of Art.

In quest'opera, Cézanne allude simbolicamente alla conflittualità del suo rapporto col padre, decisamente scettico sull'avvenire artistico del figlio, ritraendolo in modo beffardo con un giornale che sicuramente il padre disprezzava ("L'Evénement", dalle pagine del quale Zola aveva attaccato l'arte ufficiale del Salon) e significativamente di spalle a una sua tela (*Zuccheriera, pere e tazza blu*, solo leggermente modificata).

A sinistra:
Pomeriggio a Napoli (1866-1877); Canberra, Australian National Gallery.

i *Fiori del male* (1857), *Thérèse Raquin* (1867) o *Madeleine Férat* (1868) saranno per lui fondamentali e lo accompagneranno per tutta la vita.

Uno dei quadri più enigmatici della produzione giovanile dell'artista è *Colazione sull'erba* (1870-1871). Titolo e soggetto richiamano inevitabilmente Manet, ma il dipinto è organizzato in maniera diversa e ha un'altra intenzione: rappresentare l'armonia entro il genere umano e la riconciliazione tra uomo e natura, quella solenne appartenenza dell'uomo al suo ambiente che tornerà a essere mirabilmente espressa in opere tarde come per esempio *Donna con caffettiera*, del 1890-1895, o *Signora in blu*, del 1900-1904. In *Colazione sull'erba* – ambientato in un paesaggio scuro, coperto di nuvole, simile a quello di altre opere realizzate in questo periodo – il primo piano è occupato da quattro personaggi raffigurati attorno a un tavolo (nell'uomo calvo con la barba, di spalle, Cézanne ha voluto ritrarre se stesso). A questa scena principale fa da pendant una scena minore, sulla sinistra del dipinto, in cui si vede una coppia che sparisce nel folto di un cespuglio. Nel dipinto compaiono inoltre una serie di oggetti sparsi per terra, un cane che osserva attentamente i personaggi attorno al tavolo e, sullo sfondo, uno spettatore dall'aria riservata che fuma ostentatamente la pipa; quest'ultimo potrebbe essere Zola che Cézanne ritrae nell'atto di osservare la scena da lontano in quanto lo scrittore appartiene ai ricordi del passato, al tempo della spensierata adolescenza (anche per l'uomo con la pipa che, in piedi, assiste alla partita nei *Giocatori di carte* del Metropolitan Museum di New York, realizzato attorno al 1892, è stata avanzata l'ipotesi che si tratti di Zola).

I quadri di questo periodo sono un compendio di paure, di conflitti irrisolti, di vane speranze, opere in cui Cézanne sembra scagliarsi consapevolmente contro i canoni estetici e

Qui sopra:
Louis Le Nain, *I giocatori di carte* (1635-1640); Aix-en-Provence, Musée Granet.

Nella pagina a fianco, in basso:
I giocatori di carte (1892 circa); New York, Metropolitan Museum of Art.

Colpito dal soggetto del dipinto di Le Nain, che ebbe modo di vedere nel museo della sua città natale, Cézanne lo riprese in alcune delle sue opere più famose.

A destra:
Colazione sull'erba
(1870-1871).

Ritratto di Antony Valabrègue (1870 circa); Malibu, Paul Getty Museum.

A giudicare dalla foga con cui Cézanne dipinge il ritratto di un amico, diceva il poeta e critico d'arte Antony Valabrègue, «sembra che voglia vendicarsi di lui, di qualche segreta offesa». Nativo di Aix, come Cézanne, Valabrègue conobbe il pittore negli anni della sua giovinezza, entrando a far parte di quella piccola rappresentanza di intellettuali del Midi che a Parigi frequentava i ritrovi delle avanguardie artistiche come il Café Guerbois.

morali del suo tempo. Uno dei suoi principali problemi rimase a lungo la dipendenza totale e umiliante dal padre che guardava con indifferenza la "battaglia d'amore" che suo figlio si sforzava di sostenere con l'arte. Un dipinto del 1866 conservato alla National Gallery di Washington ritrae Louis-Auguste Cézanne seduto in poltrona, mentre legge comodamente il giornale con in testa la sua berretta da casa; a bella posta, con intento satirico, Cézanne non gli fa leggere "Le Siècle", il giornale repubblicano che il padre era solito acquistare, ma sceglie "L'Evénement", un foglio liberale sul quale Zola stava combattendo la sua battaglia per l'arte moderna.

Il sogno di un amore libero, totale e senza limiti è invece il tema di *Pomeriggio a Napoli*, del 1866-1877, che rimanda all'*Olympia* di Manet: la coppia sdraiata appare abbandonata in quell'universo di piacere che Cézanne si vide sempre negato.

Qualcosa di diverso, tuttavia, comincia ad affiorare già in alcuni ritratti della fine degli anni Sessanta, come il *Ritratto di*

Il negro Scipione (1866 circa); San Paolo del Brasile, Museu de Arte.

Scipione era un noto modello dell'Académie Suisse, l'accademia d'arte che Cézanne frequentò tra il 1861 e il 1870 durante i suoi numerosi soggiorni a Parigi. Il quadro appartenne a Monet che lo teneva appeso sua camera da letto e lo considerava «un'opera di grande valore». Pissarro lo definì «un capolavoro di pittura».

Antony Valabrègue (1870 circa) o *Il negro Scipione* (1866 circa) – definito da Pissarro «un capolavoro di pittura» – che sembrano inaugurare un nuovo genere.

Sull'arte di Cézanne si è così espresso Lionello Venturi, uno dei maggiori studiosi della pittura di quel periodo, nella prefazione a una sua monografia sul maestro di Aix data alle stampe nel 1936: «È venuto il momento di affermare che il mondo spirituale di Cézanne, sino alla ultima ora della sua vita, non è stato quello dei simbolisti, dei "fauves", dei cubisti, ma il mondo che noi associamo a Flaubert, Baudelaire, Zola, Manet e Pissarro. Cioè Cézanne appartiene a quell'eroico periodo dell'arte e della letteratura che in Francia pensò di trovare il cammino nuovo verso la verità naturale, superando il Romanticismo stesso per trasformarlo in arte duratura. Non vi è nulla di decadente, nulla di astratto, non vi è l'arte per l'amore dell'arte, nel carattere e nell'opera di Cézanne: nulla tranne una innata e indomabile volontà di creare l'arte».

P. Cezanne 73

Impressionismo: un breve incontro

Qui sopra: Camille Pissarro, *Ritratto di Cézanne* (1874).

Nella pagina a fianco: *La casa di "père" Lacroix a Auvers* (1873 circa), particolare; Washington, National Gallery of Art.

IL SOGGIORNO DI CÉZANNE a Pontoise e a Auvers, vicino all'amico Pissarro, è generalmente considerato come il momento della "svolta impressionista", della conversione del maestro di Aix alla tecnica di quella scuola. In quel periodo, il metodo di lavoro di Pissarro prevedeva essenzialmente due elementi: una tavolozza chiara di colori fondamentali e complementari rischiarata dal bianco e una pennellata fatta di piccoli tocchi e di brevi tratti con la quale rendere i riflessi colorati della luce. Inoltre, da un lato Pissarro usava uno schema compositivo, mutuato da Corot e dalla fotografia, che attraverso lo scorcio, e con linee profondamente divergenti, univa, portandoli in primo piano, soggetti vicini e lontani; dall'altro appariva influenzato dalla cosiddetta scuola di Barbizon, la corrente nata attorno alla figura di Théodore Rousseau, che gli comunicò l'interesse per il paesaggio e per il mondo contadino.

Senza dubbio, Cézanne dovette a Pissarro l'approfondimento del suo lavoro. L'amico gli insegnò a guardare con maggior distacco la realtà facendogli capire che la si poteva rappresentare senza attribuirle le caratteristiche del proprio temperamento: la drammaticità doveva essere creata attraverso la luce e l'ombra, attraverso mezzi pittorici, non mediante artifici letterari. Grazie a Pissarro, Cézanne portò a compimento quel processo di maturazione che era giunto a buon punto nella tela del *Pendolo nero* (1870 circa) ma che, per manifestarsi nella sua pienezza, aveva bisogno di una maggiore libertà espressiva e soprattutto di un approfondimento dell'uso del colore. Ma Pissarro, come dice Venturi, fu anche l'artista che portò nel movimento impressionista un profondo bisogno di costruzione che lo spinse a ricercare con foga una sintesi strutturale della luce stessa. Per questo era così vicino a Cézanne, al suo desiderio di monumentalità.

La casa dell'impiccato a Auvers (1873 circa) è l'opera di Cézanne in cui appare evidente il nuovo indirizzo della sua pittura e le sue future implicazioni che porteranno il maestro di Aix a superare la fase impressionista. In questo dipinto, dice

Lionello Venturi, «lo spazio non è più amorfo ma la vibrazione luminosa, ottenuta nonostante il consueto spessore della materia, lo rende quasi compatto, come una massa che però non ha pesantezza, ma corposità, data la finezza dei passaggi cromatici. È la luce che crea questa sintesi tra volume e spazio, una sintesi che dà alle cose il senso dell'eternità o, a dir meglio [...], il senso della loro "durata" reale, del ripercuotersi nella coscienza. Cézanne ha fuso il suo concetto di monumentalità, di grandezza, con il desiderio di struttura appreso da Pissarro, e naturalmente va oltre perché non si contenta di una dimensione puramente ottica delle sue immagini, ma è già in cerca di una dimensione emotiva della forma». Ciò rende comprensibile l'errore critico di chi, come Emile Bernard (1907), ha visto in Cézanne il restauratore di un ordine classi-

co, di chi ha negato che Cézanne sia stato un impressionista.

Sebbene *La casa dell'impiccato a Auvers* rappresenti un chiaro passo in direzione dell'impressionismo, contemporaneamente e contradditoriamente ne appare tuttavia anche molto distante. Per prima cosa, infatti, si può notare che, mentre nei paesaggi di Pissarro lo sguardo viene trasportato all'interno del dipinto mediante la disposizione prospettica, in quest'opera lo sguardo, che un muro sulla sinistra del dipinto contribuisce a trattenere e distogliere, è condotto a fatica, come attraverso la cruna di un ago, sulla veduta di Auvers che si apre tra le due case in primo piano, secondo una scelta compositiva che fa risultare l'immagine distorta e come estraniata. Inoltre, il quadro di Cézanne, nonostante ricordi quelli di Pissarro per i toni chiari e delicati, presenta una maggiore articolazione interna rispetto alle opere dell'amico: tre piani paralleli marcano il primo, il secondo piano e lo sfondo, portati a un'unità strutturale per mezzo della distribuzione omogenea della luce.

Nel 1877 Cézanne espose ancora una volta, come si è visto, con gli impressionisti, ma nel 1879 aveva già preso la decisione di non partecipare più alle mostre del gruppo e ne aveva informato l'amico Pissarro in una breve lettera. Il motivo non era tanto il fatto di non sopportare le critiche che rego-

A sinistra:
Pendolo nero
(1870 circa).

Qui sotto, dall'alto:
Tre bagnanti
(1875-1877);
Parigi,
Musée d'Orsay.

Recipienti, frutta e biscotti sul buffet
(1873-1877);
Budapest,
Szepmuveszeti
Muzeum.

La casa dell'impiccato a Auvers (1873 circa); Parigi, Musée d'Orsay.

Tra le poche tele che recano la firma dell'autore, l'opera rappresenta un momento chiave nella conversione di Cézanne all'impressionismo da cui l'artista deriva «tutto ciò di cui ha bisogno per superare il concetto di una realtà immobile» (N. Ponente). Il dipinto fu esposto alla prima mostra impressionista, allestita nello studio del fotografo Nadar a Parigi nel 1874.

larmente coprivano di ridicolo le esposizioni degli impressionisti. Cézanne sentì di doversi allontanare dall'impressionismo, nonostante conservasse fino all'ultimo un profondo rispetto per Pissarro e Monet, perché pensò che solo a patto di isolarsi sarebbe riuscito a condurre liberamente la sua ricerca, quel lungo e faticoso cammino che lo avrebbe condotto a risultati rivoluzionari.

È vero che dagli impressionisti Cézanne apprese a concepire la pittura non come la trasposizione sulla tela di scene immaginate o sognate ma come lo studio preciso delle apparenze, nel senso di un lavoro rivolto essenzialmente alla realtà. È vero che, come loro, abbandonò la fattura barocca per i piccoli tocchi giustapposti. Tuttavia, c'era qualcosa nell'impressionismo che lo allarmava profondamente. I quadri di Monet e di Renoir gli sembravano troppo "sfumati", compositivamente troppo poco precisi. Cominciò a criticare pubblicamente l'impressionismo. Il suo temperamento classicista reagiva per istinto a quello che sembrava costituire il vero pericolo latente nella pittura impressionista: la vanificazione della forma. Il timore appariva fondato, come fu confermato dall'ultima fase della pittura di Monet. Impressionista "puro", Monet poteva trovare dappertutto un soggetto valido: un mucchio di fieno, uno stagno di ninfee. Il suo interesse prioritario erano gli effetti di luce, un'attenzione che, portata alle estreme conseguenze, lo fece alla fine approdare a una sorta di pittura "informale".

Cézanne, interessato essenzialmente alla struttura, a uno stile radicato nella natura delle cose, non nelle sensazioni soggettive, che riteneva sempre "confuse", non poteva che voltare le spalle all'impressionismo. Quando iniziava a dipingere, si imponeva di osservare attentamente il soggetto che voleva rappresentare: un paesaggio, una persona, una natura morta; poi cercava di tradurre sulla tela la sua percezione del soggetto senza perdere nulla dell'intensità che quello possedeva. Sentiva di non poter cogliere la realtà della cosa rappresentata senza una disposizione organica di linee e di colori che conferisse stabilità e chiarezza all'immagine trasferita nel dipinto. Il fine degli impressionisti, che si proponevano di rappresentare quanto di mutevole e soggettivo si presentava ai loro occhi, gli appariva in contrasto con il vero scopo dell'arte: creare qualcosa di imponente e duraturo come avevano saputo fare i grandi maestri del passato. La sua aspirazione era appunto quella di raggiungere lo stesso effetto monumentale di quegli artisti, pur conservando l'intensità dell'immagine visiva. Era quanto intendeva dire affermando: «Rifare interamente Poussin dal vero [...] dipingere un Poussin dal vivo, all'aria aperta, col colore e la luce, invece di una di quelle opere create in uno studio, dove tutto ha il tono grigiastro della debole luce diurna senza riflessi del cielo».

Natura morta con zuppiera (1877); Parigi, Musée d'Orsay.

Un sottile gioco di riflessi illumina, quasi senza ombre, i semplici oggetti del dipinto. Dei tre quadri che si intravedono sullo sfondo, appesi al muro, quello a sinistra è un paesaggio di Pissarro in casa del quale, a Pontoise, sembra essere stata realizzata la natura morta qui riprodotta.

Anche la tavolozza di Cézanne denuncia la sua distanza dagli impressionisti. L'arte impressionista rappresenta gli oggetti nell'atmosfera in cui li coglie la percezione istantanea, senza contorni assoluti, collegati tra loro dalla luce e dall'aria. Per rendere questo involucro luminoso esclude alcuni colori (le terre, le ocre, i diversi neri) e utilizza soltanto i sette colori del prisma. Al contrario degli impressionisti, i colori usati da Cézanne non si limitano ai sette del prisma, ma sono diciotto: sei rossi, cinque gialli, tre blu, tre verdi, un nero. L'uso dei colori caldi, e del nero, mostra che Cézanne voleva "catturare"

Casa in Provenza (Beaurecueil) (1885-1886); Indianapolis, Herron Museum of Art.

Naturale e artificiale sembrano fondersi in quest'opera di grande secchezza e rigore formale, dove le linee essenziali e squadrate della casa e della montagna si corrispondono nell'andamento parallelo della composizione.

l'oggetto, ritrovarlo dietro l'atmosfera. Per questo aveva rinunciato alla divisione del tono sostituendola con mescolanze graduate, con un succedersi di sfumature cromatiche, con una modulazione colorata che delineasse la forma e la luce ricevuta dall'oggetto. La soppressione dei contorni precisi, in taluni casi, e la priorità del colore sul disegno non rispondono a una stessa esigenza nelle opere degli impressionisti e in Cézanne. Nelle opere di quest'ultimo l'oggetto non è più coperto di riflessi, né perduto nei suoi rapporti con l'aria e gli altri oggetti, ma è come illuminato dall'interno, emana luce, producendo un'impressione di solidità e di materialità. Tuttavia, Cézanne non rinunciava a far vibrare i colori caldi e otteneva queste sensazioni colorate con l'impiego del turchino, come si vede per esempio in *Recipienti, frutta e biscotti sul buffet* (1873-1877), *Tre bagnanti* (1875-1877), *Casa in Provenza (Beaurecueil)*, del 1885-1886, *Natura morta con zuppiera* (1877), *Natura morta con comò* (1882-1887).

Il decennio posteriore al 1877 vide Cézanne impegnato a raggiungere una nuova dimensione costruttiva, una struttura delle immagini – indifferentemente: figure umane, paesaggi o nature morte – sempre più volumetrica e sempre più astratta, che anticipava la chiarezza delle opere degli ultimi anni, quel ricercare nella propria coscienza la vera dimensione temporale e spaziale dell'opera d'arte.

La natura morta

Qui sopra:
L'atelier di Cézanne ai Lauves.

Nel 1902 Cézanne sistema ai Lauves, nelle immediate vicinanze di Aix-en-Provence, un nuovo studio che domina dall'alto la città e gode di un'ottima vista sulla montagna Sainte-Victoire. Il giardino e l'atelier di Cézanne sono oggi visitabili grazie a un gruppo di appassionati che tra gli anni Cinquanta e Settanta è intervenuto a salvare gli oggetti appartenuti all'artista dalla dispersione e il complesso dall'abbandono, aprendolo al pubblico.

Nella pagina a fianco:
Natura morta con mele e biscotti (1879-1882), particolare; Parigi, Musée de l'Orangerie.

OTAVA VIRGINIA Woolf a proposito di una delle ventuno opere di Cézanne esposte nel 1910 a una mostra allestita a Londra da Roger Fry (l'illustre critico, amico della scrittrice, al quale si deve un'importante monografia sul pittore provenzale e la promozione della pittura postimpressionista in Inghilterra): «Ci sono sei mele nel quadro di Cézanne. Che cosa non possono essere sei mele? C'è il rapporto tra ognuna di loro, e il colore e il volume [...] Quanto più le si guarda tanto più le mele sembrano diventare più rosse e rotonde e più verdi e pesanti. Ho il sospetto di una assai misteriosa coltivazione [...] Il loro pigmento stesso sembra sfidarci, toccare qualche nostro nervo, stimolare, eccitare [...] suscita in noi parole dove non credevamo che parole esistessero, suggerisce forme dove prima non vedevamo che vuoto [...] i pittori silenziosi, Cézanne e Sickert, fanno di noi quello che vogliono».

Un tale entusiasmo non deve sorprendere in una scrittrice sensibile come la Woolf che di Paul Cézanne sembra condividere le stesse esigenze espressive e le fatiche della lotta creativa. Dipingere la materia che sta coagulandosi, rendere il mondo nella sua densità, l'opaco, il trasparente, i diversi stadi della materialità delle cose rappresentò una sfida sia per l'artista provenzale che per la scrittrice inglese, orientata verso una prosa che rendesse "solidi" gli oggetti e "parlante" il silenzio; allo stesso modo, dubitare del proprio "fare" senza tener conto né delle grandi capacità oggettivamente acquisite, né del proprio indiscutibile talento naturale fu una costante nella vita di entrambi gli artisti.

Le "cose" di Cézanne durano «come proseguimento indefinito dell'esistenza» perdendo ogni aura di ambigua suggestione, rigenerandosi in realtà acquisita per sempre, in patrimonio e strutture di chi le osserva.

La dedizione all'opera portò il maestro di Aix a conoscere le cose al di là dell'amore che lo conduceva verso di esse; il tratto "disumano" della sua pittura sta precisamente in questo: le cose lo spodestavano, la sua pittura diventava impersonale.

Qui sotto:
Natura morta con fruttiera, bicchiere e mele (1879-1882).

Al centro:
Tavolo di cucina (1888-1890), particolare; Parigi, Musée d'Orsay.

In questa celebre natura morta, la maggior parte degli oggetti sono visti da due o anche tre punti di vista diversi. Diceva Cézanne: «In un'arancia, come in una mela, o in una palla, o in una testa, c'è sempre un punto culminante che coincide con il nostro punto di vista, nonostante sia reso con toni a effetto: luci, ombre, sensazioni coloranti. I contorni degli oggetti fuggono verso un centro collocato sul nostro orizzonte».

Nella pagina a fianco, in alto a destra:
Tenda, piatto inclinato con frutta, caraffa e bicchiere (1900-1905).

Nella pagina a fianco, in basso a sinistra:
Cesto con mele, bottiglia, biscotti e frutta (1895 circa); Chicago, Art Institute.

Qualunque cosa dipingesse assumeva un carattere eterno e monumentale (ma non retorico): il paesaggio provenzale come le nature morte o i ritratti. Ma fu soprattutto grazie a un genere come la natura morta che il suo talento cominciò a essere apprezzato, a partire dai molti ammiratori che il maestro di Aix contava tra i giovani artisti: Gauguin, per esempio, che acquistò diversi quadri di Cézanne tra cui *Natura morta con fruttiera, bicchiere e mele* (1879-1882).

Riferendosi a un brano di *Pelle di zigrino* in cui Balzac parla di una «tovaglia bianca come uno strato di neve caduto di fresco e sulla quale s'elevano simmetricamente le posate coronate di panini biondi», Cézanne diceva: «Per tutta la mia giovinezza ho voluto dipingere questo, quella tovaglia di neve fresca [...] Ormai so che bisogna limitarsi a voler dipingere i "s'elevano simmetricamente le posate" e il "di panini biondi". Se dipingo "coronate" sono fregato, capite? E se davvero equilibro e sfumo le posate e i panini come dal vero, siate sicuri che ci saranno le corone, la neve e un sacco di altre cose».

In *Tenda, piatto inclinato con frutta, caraffa e bicchiere* (1900-

1905) non esiste una linea dell'orizzonte. Il piano del tavolo non è più un piano, ma una linea di scivolamento obliqua che s'incrocia con un'altra linea, quella contenuta all'interno di un triangolo il cui vertice si proietta verso l'alto togliendo alla superficie ogni profondità. Le mele, magnifiche nella loro solidità, sono sul punto di scivolare verso di noi, verso il centro posto sul nostro orizzonte e non sul loro orizzonte che è ormai scomparso: «Sono trattenute miracolosamente», dice il filosofo Franco Rella, «solo dal loro peso, unico elemento che le arresti, prima che escano definitivamente dal quadro e diventino pure immagini, fantasmi mentali, che hanno perduto definitivamente il loro statuto di cose» (1987).

In *Tavolo di cucina* (1888-1890), un dipinto su cui si sofferma Erle Loran (1946), il canestro di frutta e il piano della tavola sono dipinti tenendo conto di due punti di vista diversi, mentre la parte sinistra e la parte destra del tavolo non risultano allineate. Rappresentando gli oggetti da diversi punti di vista, girandovi attorno, Cézanne intendeva accentuarne la con-

sistenza volumetrica, realizzare, proprio attraverso la distorsione dell'immagine, l'energia vitale delle cose. Il fascino indiscutibile delle nature morte di Cézanne è proprio in quella visione distorta che l'artista riesce a imporre come più vera, più evidente e più vitale di quella che si realizza nella realtà quotidiana. Le sue nature morte sono da interpretare come qualcosa di più di una mera rappresentazione di oggetti privi di vita. In effetti, nei suoi quadri le cose si possono toccare, sembrano sciogliersi nell'armonia del colore e appartenere a una realtà strutturata che Cézanne, in un certo senso, viveva come sostitutiva di quella quotidiana con cui non riusciva a confrontarsi. Nelle sue nature morte Cézanne voleva rendere l'atmosfera di ciò che dipingeva, il riflesso, la corrispondenza, il legame colorato e vivente di tutte le cose, il ricco tessuto di rapporti che per lui avevano un significato che andava oltre il gioco formale.

In *Cesto con mele, bottiglia, biscotti e frutta* (1895 circa), il taglio compositivo, diversamente da altre opere come per esempio *Natura morta con comò* del 1882-1887, porta gli oggetti in primo piano presentandoli a distanza ravvicinata. Una tra le migliori opere appartenenti a questo genere è *Natura morta con mele e arance* (1895-1900) in cui i vividi e profondi colori dei numerosi frutti e del drappo sullo sfondo contrastano efficacemente con la tovaglia bianca che splende come neve in mille sfumature.

Se la personalità di Cézanne, così come si era sviluppata nel corso degli anni, lo aveva portato a coltivare un genere come la natura morta e a riservargli un posto di primo piano all'interno della sua opera, anche la frequenza con la quale, all'interno di quel genere, sono dipinti taluni soggetti, per esempio le mele, sembra indicare precise preferenze che possono essere ricondotte ad altrettanto precisi motivi personali. Da molti critici, le mele sono citate a dimostrazione dell'"insignificanza" degli oggetti dipinti dal maestro di Aix. Meyer Schapiro (1982), invece, ha posto l'accento sulle implicazioni simboliche di quel particolare frutto che, oltre a rimandare all'amicizia con Zola, appare collegato alla sfera della sessualità in quanto simbolo della donna, o meglio dell'eterno femminino, ideale sempre inseguito e mai raggiunto da Cézanne nella sua vita sentimentale. Ma c'è anche un'altra possibilità: la mela potrebbe rappresentare non solo il sogno di una soddisfazione erotica ma, più in generale, la difficoltà dei rapporti umani. In *Natura morta con bottiglia di liquore alla menta* (1890-1894), uno dei quadri più sobri e raffinati dell'ultimo periodo, sembra quasi che l'artista abbia voluto accarezzare questo frutto più che dipingerlo, una sensazione che si ripete per molte delle opere più tarde.

Natura morta con bottiglia di liquore alla menta (1890-1894); Washington, National Gallery of Art.

L'impostazione bidimensionale, del dipinto, che rinuncia a dare la sensazione di profondità evitando di rendere prospetticamente il piano del tavolo, concentra l'attenzione sulla coesione di forme e colori. Risaltano, così, l'intreccio delle linee (quelle curve delle bottiglie, della caraffa e dei frutti e quelle squadrate del muro e del tavolo) e il contrasto tra i cupi colori di bottiglia, caraffa, drappo e muro e quelli accesi del canovaccio bianco e dei frutti.

A destra, dall'alto:
Natura morta con mele e arance
(1895-1900);
Parigi,
Musée d'Orsay.

Natura morta con comò
(1882-1887);
Monaco,
Neue Pinakothek.

Qui sopra:
Natura morta con amorino in gesso
(1895);
Londra,
Courtauld Institute Galleries.

Si tratta di un'opera decisamente originale, sia per la complessità dei piani prospettici su cui viene giocata la composizione, sia per l'accostamento tra semplici oggetti quotidiani e la raffinata statuetta, dipinta a partire dal calco in gesso di un *Cupido* di Pierre Puget (1620-1694).

Della mela Cézanne amava la rotondità graziosamente simmetrica, la delicatezza del colore che talora riusciva a rendere in maniera squisita, con una maestria che raramente è rintracciabile nei suoi nudi.

È stato spesso ripetuto che l'approccio di Cézanne alla natura morta è mutato tra il 1880 e il 1900. Non è escluso che ciò sia dovuto, in parte, al trascorrere degli anni e alla maggiore serenità raggiunta col maturare della sua arte. Tra le nature morte più tarde vi sono opere di una sontuosità e un formalismo fastoso, con oggetti più corposi, con mazzi di fiori, tende drappeggiate e tovaglie ricamate. Tuttavia, l'artista non arrivò mai a risolvere completamente le sue contraddizioni e anche quando la tranquillità poteva sembrare ormai raggiunta, opere complesse come la *Natura morta con amorino in gesso* (1895) stanno a testimoniare il perdurare di un profondo conflitto interiore.

Le *Bagnanti*

IN OCCASIONE DELLA TERZA mostra impressionista, le *Bagnanti* di Cézanne furono da alcuni giudicate «maldestre e barbare», mentre altri ci videro un ritorno all'arte antica – non tanto all'arte greca ma piuttosto a quella egizia – e ne lodarono la capacità di combinare naturalezza, spontaneità e composizione "classica" individuando proprio nell'apparente "goffaggine" delle figure il segno di un'autentica originalità.

Per il maestro di Aix, il ciclo delle *Bagnanti* rappresentò uno dei momenti culminanti della sua arte. Attraverso quelle tele egli intendeva, secondo le sue stesse, enigmatiche parole, «rinnovare Poussin secondo natura». Questo maestro della pittura francese del Seicento non fu, all'inizio, tra i modelli di Cézanne. Ciò che l'artista provenzale aveva mostrato di apprezzare al Louvre, al tempo dei soggiorni parigini, era soprattutto la pittura del XV secolo, le opere dei grandi maestri del Rinascimento italiano – da Tiziano a Tintoretto, a Giorgione e Veronese – oppure di Rubens o anche quelle di alcuni pittori di qualche generazione precedente alla sua come Delacroix e Courbet. Poussin, al contrario, non sembrava ancora rivestire ai suoi occhi un particolare interesse. Fu soltanto quando Cézanne cominciò a porsi in maniera critica nei confronti dell'impressionismo che quell'autore gli apparve in tutta la sua grandezza.

Il motivo delle *Bagnanti*, soggetto di derivazione classica, aveva anche un fondamento autobiografico, in quanto si collegava ai ricordi di gioventù del pittore, ai bagni fatti con Zola e Baille nell'Arc e nella Torse, che gli amici rievocavano, pieni di nostalgia, nelle loro lettere.

La memoria indelebile degli episodi di quegli anni si dipana in tutta l'opera di Cézanne. Il dolore per qualcosa di definitivamente perduto, l'esperienza di un incontro armonico degli uomini nel grembo della natura che, al di là del dato autobiografico, si arricchiva del ricordo della mitica Età dell'oro in cui si realizzava pienamente quella fusione tra uomo e natura che si era poi spezzata, costituivano un motivo di ispirazio-

Qui sopra:
una lettera inviata da Cézanne adolescente a Zola con un veloce schizzo che rievoca i momenti felici dei giorni di vacanza trascorsi insieme.

Nella pagina a fianco:
Cinque bagnanti (1885), particolare; Basilea, Kunstmuseum.

ne già nelle "scene pastorali" di molte delle opere giovanili.

Le figure delle *Bagnanti* simboleggiano il principio femminile, la potenza creatrice primigenia e, significativamente, il tipo muliebre che compare nelle numerose tele dedicate da Cézanne a questo soggetto (tra cui le tre versioni delle *Grandi bagnanti* conservate al Museum of Art di Filadelfia, alla National Gallery di Londra e alla Barnes Foundation di Merion in Pennsylvania, opere di grande formato alle quali l'artista lavorò dal 1898 al 1905 e che vengono a ragione considerate il suo testamento spirituale) sembra avere il suo referente in Demetra, la dea greca della terra coltivata, del grano, la divinità legata all'eterno ciclo della natura.

Per la serie delle *Bagnanti*, Cézanne si è servito di disegni, studi e copie di capolavori dell'arte antica. L'artista li ha utilizzati soprattutto per fissare i punti chiave della composizione, prestando molta più attenzione alla componente strutturale piuttosto che ad altri elementi quali, per esempio, il movimento e l'espressione. Lo schema base costituito da figure in piedi o sedute viene arricchito, nell'ultimo periodo, da altre pose più mosse, senza che in esso si verifichino mutamenti essenziali; il riferimento all'acqua appare tipico soprattutto dei primi dipinti della serie, mentre successivamente Cézanne tende a eliminarlo.

Nel ciclo delle *Bagnanti* Cézanne ha cercato di raffigurare la "verginità del mondo", quella totale fusione delle origini tra elemento umano ed elemento naturale che tornava a rivivere nelle sue opere, realizzando uno dei miti più ricorrenti nella cultura occidentale.

Qui sopra:
Le grandi bagnanti III
(1900-1905);
Merion
(Pennsylvania),
Barnes Foundation.

In alto:
Le grandi bagnanti II
(1900-1905);
Londra,
National Gallery.

In alto, a destra:
Le grandi bagnanti I
(1898-1905);
Filadelfia,
Museum of Art.

È la più grande delle tele di Cézanne, misurando 208x249 centimetri. L'attenzione prestata agli aspetti formali della composizione, che mostra un'accentuata simmetria delle parti, appare prioritaria: «Tutto si fonde nell'atmosfera colorata, ogni rapporto di masse si armonizza ed ogni cosa trova il suo posto e la sua funzione in una sublime architettura» (N. Ponente).

A destra:
Sei bagnanti
(1873-1877);
New York,
Metropolitan
Museum of Art.

Di Provenza il mare, il suol

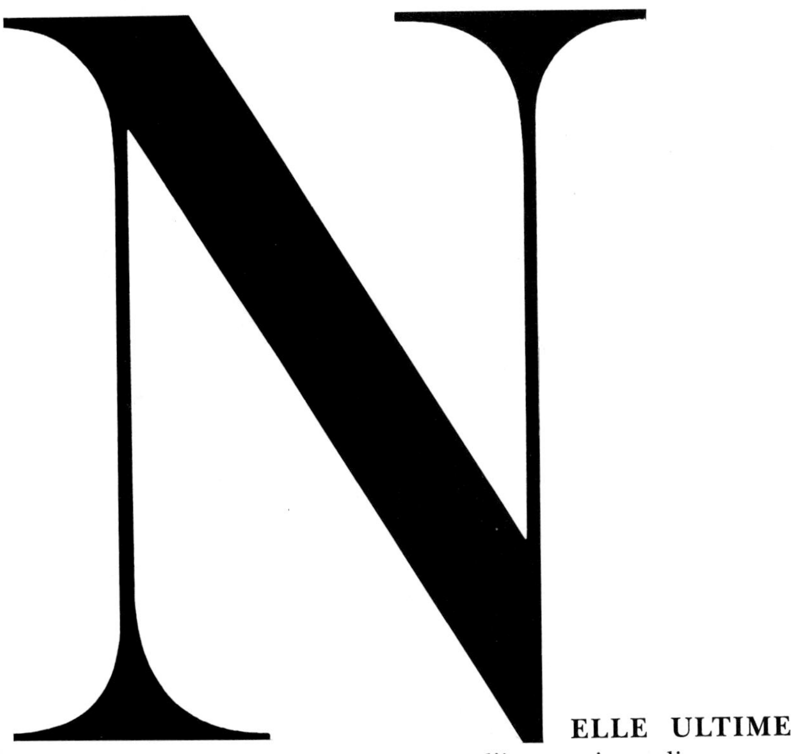

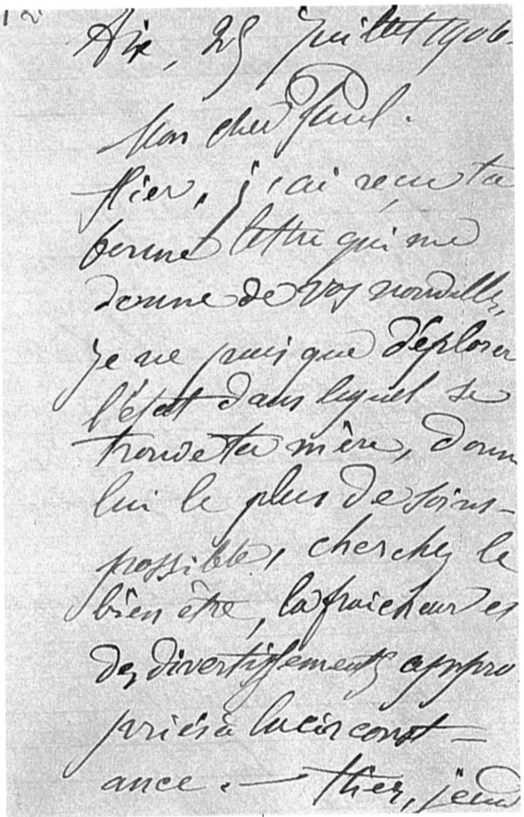
Aix, 25 juillet 1906.
Mon cher Paul.
Hier, j'ai reçu ta
bonne lettre qui me
donne de vos nouvelles,
je ne puis que déplorer
l'état dans lequel se
trouve ta mère, donne
lui le plus de soins
possible, cherche le
bien être, la fraicheur et
des divertissements appro-
priés à la circonst-
ance. — Hier, j'ai

Qui sopra:
Una delle ultime lettere di Cézanne al figlio Paul, datata 29 luglio 1906.

Nella pagina a fianco:
Gardanne (1885-1886), particolare; New York, Metropolitan Museum of Art.

NELLE ULTIME lettere al figlio, Cézanne comunicava l'impressione di una vertigine corrosiva che attaccava le cose da cui era circondato. L'artista sentiva di vivere «come in un vuoto», mentre tutto passava «con una rapidità terribile». L'unica reazione possibile era, per lui, mettersi davanti a un soggetto per dei mesi «senza cambiare posto, solo inchinandomi un po' più a destra, o un po' più a sinistra» nella speranza di cogliere qualcosa di questo terribile mutamento che sembrava trascinare le cose nel nulla. «Bisogna sbrigarsi se si vuole ancora vedere qualcosa. Tutto scompare», scriveva l'artista con rammarico, pensando alla Provenza come l'aveva conosciuta un tempo.

Le opere dedicate da Cézanne all'aspro paesaggio della sua terra rappresentano uno dei momenti più alti e felici della sua ispirazione. Uno dei soggetti preferiti dell'artista fu la montagna Sainte-Victoire. Le oltre trenta tele che la ritraggono la rappresentano da infiniti punti di vista e nelle forme più varie fino a farla apparire evanescente al pari di una nuvola e quasi indistinguibile da ciò che la circonda (come in *Piana con alberi e case*, del 1905, o nelle due versioni della *Montagna Sainte-Victoire vista dai Lauves*, del 1904-1906, che si trovano a Filadelfia e a Basilea) o a farla emergere come per un'ultima volta prima di scomparire (per esempio, nel dipinto del Kunsthaus di Zurigo, del 1902-1906): cosa che rimanda a Lyotard e alla sua citata teoria della "de-rappresentazione". Ciò evidenzia nella pittura di Cézanne un processo evolutivo che sembra presentare caratteristiche analoghe a quello riscontrabile nelle ultime opere di Monet per le quali si possono citare le acute osservazioni di Franco Rella: «La tragedia centrale dell'arte del moderno ha investito e travolto anche il più nitido paesaggista del XIX secolo, Claude Monet, nelle ninfee dell'ultimo periodo, in una sorta di liquidazione generale del visibile» (1991). Inutile dire che quanto Cézanne e Monet andavano scoprendo si rivelò di capitale importanza per la pittura moderna. Fu infatti il loro esempio che, in seguito, indusse alcuni artisti (basti pensare a Franz Marc e Paul Klee) a esplorare quel nuovo limite del visibile, quei

territori "atopici", quelle "assenze di luogo", sperimentando in modo addirittura profetico le potenzialità che, in termini di rappresentazione, emergevano proprio da quel limite.

Cézanne ha voluto capire fino in fondo il paesaggio provenzale per fermare in eterno l'essenza della sua terra natale, rivelare i segreti di luce di quella sorta di grande "placenta" in cui è riuscito a dimenticare tutto ciò che, fuori, poteva aggredirlo. Su Cézanne e la montagna Sainte-Victoire esiste un breve saggio di Peter Handke, dal titolo *Nei colori del giorno* (1985), in cui lo scrittore austriaco afferma che il maestro di Aix, col passare degli anni, si propose unicamente di dipingere delle «innocenti cose terrene» – mele, rocce, volti – che comunicano allo spettatore un loro essere-in-pace e non sembrano rimpiangere, sulla tela, la fugacità che caratterizza l'alterna vicenda del reale. «La Sainte-Victoire non è il rilievo più alto della Provenza ma certo il più repentino», dice Handke; «non consiste in un'unica vetta, bensì di una lunga catena il cui crinale, sempre mantenendosi a mille metri sul livello del mare, descrive approssimativamente una linea retta. Come vetta improvvisa appare solo dal basso, dalla piana di Dix che, distante una mezza giornata di cammino, si trova quasi esattamente a ovest: quella che da lì sembra la cima definitiva del monte, è solo l'inizio della cresta, la quale si allunga per un'altra mezza giornata in direzione est. Ma la cosa più strana di questo monte è la lumi-

Qui sopra:
La montagna Sainte-Victoire vista dai Lauves (1904-1906); Basilea, Kunstmuseum.

In alto:
La montagna Sainte-Victoire vista dai Lauves (1904-1906); Filadelfia, Museum of Art.

Qui sopra:
La montagna Sainte-Victoire (1905-1906); Kansas City, Museum of Art.

In alto:
La montagna Sainte-Victoire (1902-1906); Zurigo, Kunsthaus.

nosità, e lo sfolgorio dolomitico del suo calcare, o la rossa sabbia marnosa di un letto di un torrente asciutto».

Riferendosi alla Sainte-Victoire, Cézanne notava: «Lo stesso soggetto visto da un'altra angolazione offre un motivo di studio di grande interesse e di tale varietà che credo potrei occuparmene per mesi». E circa il suo metodo confidava a Joachim Gasquet, figlio di Henri: «Per poter dipingere bene un paesaggio per prima cosa devo conoscere la stratificazione geologica. Una bella mattina, il giorno dopo, mi appaiono a poco a poco i fondamenti geologici, gli strati si dispongono, i grandi piani della mia tela, dentro disegno il suo scheletro di pietra [...] Comincio a distaccarmi dal paesaggio, a vederlo. Io me ne stacco mediante questo primo schizzo, mediante queste linee geologiche. La geometria, la misura della terra». I suoi quadri, diceva il maestro di Aix, erano «costruzioni e armonie parallele alla natura».

Tra il 1895 e il 1899 Cézanne dipinse alla cava Bibémus una serie di tele che trasformano nell'unità conclusa del dipinto il caos delle rocce bizzarre. Una delle più spettacolari tra le opere realizzate da questo punto di osservazione è *La montagna Sainte-Victoire vista dalla cava Bibémus* (1897 circa), dove la vetta della montagna, che si erge quasi improvvisamente dietro la cava, incombe minacciosamente vicina, riempiendo interamente la parte superiore del dipinto.

Un ennesimo omaggio alla Provenza e alla vita spensierata

nei luoghi che, anni addietro, erano stati teatro delle sue scorribande in compagnia degli amici, è rappresentato dal *Grande pino*, un dipinto realizzato da Cézanne tra il 1892 e il 1896. L'albero che campeggia solitario al centro della tela, contemporaneamente simbolo e custode dei ricordi di gioventù, è quello stesso, sulla riva dell'Arc, alla cui ombra Cézanne, da ragazzo, sedeva con i compagni dopo il bagno nel fiume. Quell'albero gli aveva ispirato anche una poesia che parlava del turbinio del mistral attraverso i rami spogli della pianta a lui cara («L'albero scosso dalla furia dei venti / agita nell'aria i

La montagna Sainte-Victoire vista dalla cava Bibémus (1897 circa); Baltimora, Museum of Art.

Della Sainte-Victoire Cézanne diceva: «Che slancio, che sete imperiosa di sole [...] Questi massi erano fatti di fuoco. In essi c'è ancora del fuoco. L'ombra e la luce sembrano entrambe indietreggiare rabbrividendo e averne paura [...] quando passano delle grandi nuvole, l'ombra che ne deriva freme sulle rocce, come bruciata, divorata immediatamente da una bocca di fuoco».

rami nudi / come un immenso cadavere che il mistral fa oscillare [...]») e nel dipinto quelle tempeste di vento sono evocate dal curvo tronco del pino. Dell'albero, così come appare in quest'opera (come altri soggetti, anche il "grande pino" venne raffigurato da Cézanne più di una volta), Handke ha scritto: «Trasforma il terreno da cui si innalza in un altopiano e i suoi rami si torcono verso i punti cardinali, e il suo rivestimento aghiforme delle più diverse sfumature di verde trasmette vibrazioni al vuoto tutt'attorno».

L'ultima serie dedicata alla Sainte-Victoire è vista dallo "chemin" des Lauves e, allo stesso titolo delle *Grandi bagnanti*, può essere considerata il testamento spirituale dell'artista. Rispetto al dipinto di Zurigo, quello conservato al Kunstmuseum di Basilea (*La montagna Sainte-Victoire vista dai Lauves*, del 1904-1906) rappresenta un ulteriore passo avanti. La zona scura nella parte inferiore del dipinto si allarga oltre l'orizzonte e si fonde, nella parte superiore, con le chiazze verdi del cielo. In questa coloritura scura sono comprese chiazze chiare in forte contrasto, nella successione rosso, arancione, ocra, blu. Davanti ai

Il grande pino (1892-1896); San Paolo del Brasile, Museu de Arte.

quadri di Cézanne, Gauguin aveva parlato del «rimbombo di un grande organo». E in effetti Cézanne si serviva, nel riferirsi alla sua tecnica, del termine "modulazione" che, in analogia col suo significato in campo musicale, indicava la sequenza dei colori concepita come un passaggio da un tono all'altro.

Negli ultimi anni della sua vita Cézanne continuò a contemplare la Sainte-Victoire con l'occhio ingenuo e creativo della sua prima giovinezza non ancora stanco di ricercare, di sperimentare. In quell'ultimo periodo, la montagna gli apparve lontana e imponente non più per la sua massa volumetrica ma per una luce spirituale che si sprigionava dal suo nucleo innalzandosi verso il cielo, spazio immenso dove i toni arancio-verdi-azzurri-viola simboleggiavano le cose di questo mondo. Il tocco del suo pennello, nel frattempo, diventava sempre più libero, come negli acquerelli; i colori erano sempre più intensi, si facevano, come diceva Cézanne, «la carne visibile delle idee e di Dio». Con la sua pittura, sembrava ormai percorrere, ogni giorno, il cammino dalla terra alla montagna, dall'ombra alla luce, dalla terra al cielo, ed era come se il suo pennello recitasse una muta preghiera.

L'albero raffigurato era caro a Cézanne perché faceva parte integrante dei suoi ricordi di gioventù. Così scriveva il pittore a Zola in una lettera del 1858: «Ricordi il pino sulla riva dell'Arc con la grande chioma che si protende sopra l'abisso ai suoi piedi? Questo pino che con il suo fogliame ci riparava dalla calura del sole, oh, possano gli dèi preservarlo dall'ascia distruttrice del boscaiolo!».

QUADRO CRONOLOGICO

AVVENIMENTI STORICI E ARTISTICI		VITA DI CÉZANNE
Nasce a Parigi Alfred Sisley. Vengono ufficialmente riconosciuti indipendenti il regno del Belgio e il granducato del Lussemburgo.	**1839**	Il 19 gennaio, a Aix-en-Provence, nasce Paul Cézanne, figlio di Louis-Auguste, cappellaio e poi banchiere.
Viene eletto papa Pio IX.	**1846**	
In Italia, la sommossa di Palermo contro i Borboni innesca una serie di rivolte in vari stati d'Europa per ottenere riforme in senso costituzionale e liberale. Insorgono Vienna, Berlino, Milano, Venezia, Roma. La Francia caccia il re Luigi Filippo e proclama la repubblica presidenziale. Viene eletto presidente Luigi Bonaparte, nipote di Napoleone I. Karl Marx e Friedrich Engels pubblicano il *Manifesto del Partito comunista.*	**1848**	
In Francia Luigi Bonaparte diventa imperatore col nome di Napoleone III.	**1852**	Frequenta il collegio Bourbon, prima come interno e poi, dal 1858, come esterno. L'incontro con Zola segna l'avvio di un'amicizia che avrà una grande importanza per entrambi gli artisti.
Attentato in Francia all'imperatore.	**1858**	Consegue la maturità a ottobre.
Con l'aiuto della Francia, il Piemonte sconfigge l'Austria nella seconda guerra d'indipendenza e ottiene la Lombardia. Cominciano i lavori per l'apertura del canale di Suez. Nasce a Parigi Georges Seurat.	**1859**	Studia diritto all'Università di Aix. Nei pressi della città, il padre acquista la tenuta del Jas de Bouffan che era appartenuta a un cortigiano di Luigi XIV. Frequenta un corso di disegno e al concorso finale vince il secondo premio con uno studio a olio. Viene dispensato dal servizio militare grazie a un escamotage: il padre paga una persona perché presti servizio al posto di Paul.
Scoppia la guerra di secessione americana. Marx inizia *Il capitale.* Monet è militare ad Algeri. Viene proclamato il regno d'Italia.	**1861**	È a Parigi dove, all'Académie Suisse, conosce Pissarro. Scoraggiato dalla mancata ammissione all'Ecole des Beaux-Arts, torna a Aix e si impiega nella banca paterna.
Victor Hugo pubblica *I miserabili.* Manet dipinge *Musica alle Tuileries* e incontra Degas.	**1862**	Torna a Parigi dove frequenta il Café Guerbois, ritrovo dei futuri impressionisti.
Manet espone *Le Déjeuner sur l'herbe* al Salon des Refusés, suscitando un grande scandalo. Nasce Paul Signac. Muore Delacroix.	**1863**	Espone al Salon des Refusés. Negli anni seguenti alterna i soggiorni a Parigi ed Aix; scopre la musica di Wagner. Il Salon rifiuta le sue opere.
Nasce la Croce rossa internazionale. Marx e Engels fondano a Londra l'Associazione internazionale dei lavoratori. Si apre a Parigi una retrospettiva di Daumier.	**1864**	Trascorre l'estate a Aix-en-Provence. Viene respinto al Salon.
Termina la guerra di secessione americana. Lincoln, presidente degli Stati Uniti, viene assassinato. Manet espone al Salon l'*Olympia* tra l'indignazione generale.	**1865**	È a Parigi e, durante l'estate, a Aix. Diventa amico di Antony Valabrègue.
Manet dipinge *Il pifferaio,* Monet *Donne in giardino* ed espone al Salon *Camille in abito verde.*	**1866**	Zola difende pubblicamente la pittura di Cézanne. Attorno a questa data dipinge *Il negro Scipione.*
Inaugurazione del canale di Suez. Manet espone al Salon *Il balcone.* Renoir e Monet dipingono entrambi lo stabilimento balneare della *Grenouillère.*	**1869**	Incontra la modella Hortense Fiquet, che diventerà sua moglie dopo una lunga convivenza tenuta per molto tempo nascosta al padre del pittore.
Scoppia la guerra franco-prussiana. Sconfitto a Sedan, Napoleone III si arrende. In Francia viene proclamata la Terza repubblica. Roma, conquistata militarmente, diventa la capitale del regno d'Italia. Bazille muore combattendo a Beaune-la-Rolande.	**1870**	Riesce a evitare l'arruolamento durante la guerra franco-prussiana, trasferendosi, con Hortense, all'Estaque, in Provenza. Dipinge *Pendolo nero* e inizia *Colazione sull'erba.*
Nasce l'impero tedesco. A Parigi viene proclamata la Comune.	**1871**	
Monet dipinge *Impression, soleil levant,* quadro che esporrà nel 1874 alla prima mostra degli impressionisti.	**1872**	Dal suo rapporto con Hortense Fiquet nasce il figlio Paul la cui esistenza verrà tenuta nascosta per molto tempo alla famiglia del pittore. Raggiunge Pissarro a Pontoise, quindi si trasferisce a Auvers-sur-Oise dove abita presso il dottor Gachet.
Si costituisce la Société Anonyme des artistes, peintres, sculpteurs, graveurs per iniziativa dei futuri impressionisti.	**1873**	Dipinge in casa Gachet a Auvers. Stretta collaborazione con Pissarro. Conosce a Parigi il mercante di colori Tanguy che gli dà colori e tele in cambio di quadri. Conosce Vincent van Gogh.
Gli impressionisti allestiscono nello studio del fotografo Nadar a Parigi la loro prima esposizione. Non vi partecipa Manet, assente anche dalle successive mostre del gruppo.	**1874**	Partecipa alla prima esposizione degli impressionisti con *La casa dell'impiccato a Auvers* e *Una moderna Olympia.* Scandalo e derisione del pubblico e della critica.
Seconda mostra degli impressionisti: vi partecipa, tra gli altri, Caillebotte che espone *I piallatori di parquet.*	**1876**	Decide di non partecipare alla seconda mostra allestita dagli impressionisti.
Terza mostra degli impressionisti. Renoir espone il *Moulin de la Galette.* Guerra tra Russia e Turchia.	**1877**	Espone per l'ultima volta con gli impressionisti, restando profondamente deluso per l'insuccesso. Solo un amico di Zola, il critico Georges Rivière, dà un giudizio positivo su di lui.
Muore papa Pio IX e gli succede Leone XIII. Termina la guerra tra Russia e Turchia.	**1878**	Trascorre l'anno nel Midi con Hortense e il giovane Paul. Lavora molto con Pissarro.
Quarta mostra degli impressionisti.	**1879**	
Quinta mostra degli impressionisti che vede per la prima volta tra i partecipanti il giovane Gauguin. Muore Flaubert. In Francia si diffonde lo spettacolo del cabaret. Dostoevskij termina *I fratelli Karamazov.*	**1880**	Incontra Huysmans a Médan, da Zola, dove passa l'estate.

AVVENIMENTI STORICI E ARTISTICI		VITA DI CÉZANNE
Sesta mostra degli impressionisti, disertata da Monet e Renoir. Manet riceve la Legion d'onore. Comincia la costruzione del canale di Panama.	**1881**	Rimane a Parigi fino al mese di aprile. Poi si reca con Pissarro a Pontoise dove conosce Gauguin.
Settima esposizione impressionista. Sono assenti Caillebotte e Degas. In maggio, retrospettiva di Courbet.	**1882**	Inverno all'Estaque dove riceve la visita di Renoir. È ammesso per la prima e unica volta al Salon come «allievo di Guillemet».
Muore Manet. A Berlino, la mostra degli impressionisti organizzata da Durand-Ruel alla galleria Gurlitt ottiene un grande successo di critica e di pubblico.	**1883**	Trascorre l'anno nel Midi e ha frequenti contatti con il pittore Monticelli. Visita Monet e Renoir coi quali dipinge.
Retrospettiva di Manet all'Ecole des Beaux-Arts a Parigi. Seurat comincia gli studi per *Una domenica pomeriggio all'isola della Grande Jatte.* Conosce Signac.	**1884**	Le sue opere sono apprezzate dai giovani artisti che le ammirano nella bottega di "père" Tanguy a Montmartre. Gauguin e Signac comprano alcuni dei suoi quadri.
Pissarro incontra Seurat e Signac. Monet espone alla quarta mostra internazionale di Georges Petit. Seurat termina *Una domenica pomeriggio all'isola della Grande Jatte.* Muore Victor Hugo.	**1885**	Scandalo in seguito a un'avventura sentimentale con una domestica assunta dalla famiglia Cézanne.
Ottava e ultima mostra degli impressionisti. Sono assenti Monet, Renoir, Sisley, Morisot. Vi partecipano per la prima volta Seurat e Signac.	**1886**	Zola pubblica *L'Oeuvre.* Cézanne si riconosce nel protagonista, un pittore fallito, e rompe i rapporti con lo scrittore. Sposa finalmente Hortense Fiquet, una volta ottenuto il consenso del padre che muore di lì a poco lasciandogli una cospicua eredità.
Nasce a Parigi il gruppo dei pittori nabis.	**1888**	Inizia *Tavolo di cucina,* una tra le sue più significative nature morte.
Monet apre una sottoscrizione per offrire al Louvre l'*Olympia* di Manet. Viene eretta la Tour Eiffel.	**1889**	*La casa dell'impiccato a Auvers* è presentata all'Esposizione universale a Parigi.
Muore Vincent van Gogh. Anatole France pubblica *Thaïs* e Oscar Wilde *The Portrait of Dorian Gray.*	**1890**	Espone tre opere alla mostra del gruppo Les Vingt di Bruxelles. Fa un lungo viaggio in Svizzera con la moglie e il figlio. Primi sintomi di un grave diabete.
Muore Seurat. Papa Leone XIII dedica l'enciclica *Rerum Novarum* ai problemi del lavoro. Filippo Turati fonda a Genova il Partito dei lavoratori italiani.	**1891**	Un'inchiesta sui giovani pittori pubblicata su "L'Echo de Paris" testimonia la crescente influenza di Cézanne. Si trasferisce definitivamente a Aix.
Secessioni (distacco dalle tradizioni accademiche) di Monaco, Berlino, Vienna capeggiate rispettivamente da Max Klinger, Max Liebermann, Gustav Klimt.	**1892**	Attorno a questa data dipinge alcune importanti tele sul tema del gioco delle carte.
Toulouse-Lautrec dipinge *Al salon di rue des Moulins.* Jules Renard pubblica *Pel di carota.*	**1894**	Lo Stato rifiuta le opere del lascito Caillebotte di cui facevano parte anche alcuni dipinti di Cézanne. Il mercante d'arte Vollard acquista le sue opere alla vendita di "père" Tanguy.
Scoppia in Francia l'affare Dreyfus. Prima proiezione cinematografica pubblica realizzata dai fratelli Lumière. Muore Berthe Morisot.	**1895**	Esposizione delle opere di Cézanne alla galleria di Vollard che diventerà il suo mercante. Tiepido successo di pubblico, mentre Monet, Renoir, Pissarro e Degas esprimono il loro apprezzamento.
Si celebra ad Atene la prima olimpiade moderna.	**1896**	
Viene rappresentato il *Cyrano de Bergerac* di Edmond Rostand. Lo scultore Auguste Rodin realizza il *Monumento a Balzac.*	**1897**	Morte della madre a cui era particolarmente legato. Dipinge il paesaggio attorno alla montagna Sainte-Victoire.
Emile Zola, nella sua lettera aperta (*J'accuse)* al presidente della repubblica, denuncia l'esercito per aver deliberatamente manipolato le prove d'accusa al processo Dreyfus.	**1898**	Ancora un'esposizione presso Vollard, accompagnata da un catalogo. Inizia la prima delle tre versioni delle *Grandi bagnanti.*
Alfred Dreyfus viene amnistiato e riammesso nell'esercito. Muore Sisley. In Italia, nasce la Fiat di Torino.	**1899**	Espone al Salon des Indépendants. Si stabilisce definitivamente a Aix con la sua governante. Per questioni di eredità, il Jas de Bouffan viene venduto.
Rivolta dei boxer in Cina, con l'appoggio della corte imperiale, contro le legazioni occidentali e le missioni cristiane. Vittoria finale degli occidentali.	**1900**	Cézanne è ben rappresentato all'Esposizione universale. Alcune sue tele sono esposte a Berlino alla mostra organizzata da Paul Cassirer. Diabete acuto.
Sully-Prudhomme è il primo premio Nobel per la letteratura.	**1901**	Allestisce uno studio ai Lauves, nei pressi di Aix.
	1902	La morte di Zola lo sconvolge, nonostante la fine della loro amicizia. Inizia l'ultima serie della *Sainte-Victoire.*
Muore papa Leone XIII; al soglio pontificio viene eletto Pio X. Muore Camille Pissarro.	**1903**	Espone alcune opere alla Secessione viennese (sette) e tre a quella di Berlino.
Vengono ripresi i lavori di scavo del canale di Panama interrotti per il fallimento della compagnia fondata nel 1881.	**1904**	Lunghe conversazioni con Emile Bernard. Il Salon d'Automne gli dedica un'intera sala con trenta dipinti e due disegni. I suoi rapporti col mondo esterno diventano sempre più difficili.
A Parigi nasce il gruppo dei fauves, del quale fanno parte Henri Matisse, André Derain, Maurice de Vlaminck; in Germania si forma il gruppo espressionista Die Brücke (Il ponte).	**1905**	Un'inchiesta del "Mercure de France" dimostra che la sua influenza sui giovani pittori continua ad aumentare. Riceve numerose visite di ammiratori.
La corte di cassazione francese riabilita pienamente il capitano Dreyfus. Henri Matisse dipinge *Joie de vivre.*	**1906**	In ottobre, colto da un temporale mentre sta dipingendo all'aperto, si ammala gravemente e muore il 22 di quello stesso mese.
Pablo Picasso dipinge *Les demoiselles d'Avignon.* Ferenc Molnár pubblica *I ragazzi della via Pal* e Maksim Gor'kij *La madre.*	**1907**	Grande mostra commemorativa al Salon d'Automne con cinquantasei dipinti. Lo Stato francese rifiuta le opere del pittore che ornavano il Jas de Bouffan.

BIBLIOGRAFIA

All'influenza dell'arte di Cézanne è dedicato un capitolo del dossier Modigliani, *di G. Cortenova, "Art e Dossier", n. 30, dicembre 1988.*

Fonti: P. Cézanne, *Mes confidences,* in A. Chappuis, *The Drawings of Paul Cézanne. A Catalogue Raisonné,* Londra 1973; id., *Correspondance,* a cura di John Rewald (1937), Parigi 1978; id., *Lettere,* a cura di E. Pontiggia, Milano 1985.

Saggi: E. Bernard, *Paul Cézanne,* in "L'Occident", luglio 1904; id., *Souvenirs sur Paul Cézanne,* in "Mercure de France", ottobre 1907; R. Fry, *Paul Cézanne,* Londra 1910; A. Vollard, *Cézanne,* Parigi 1914; J. Gasquet, *Paul Cézanne,* Parigi 1921; L. Larguier, *Le Dimanche avec Paul Cézanne: souvenirs,* Parigi 1925; J. Borély, *Cézanne à Aix,* in "L'Art vivant", n. 2, 1926; L. Venturi, *Il gusto dei primitivi,* Torino 1926; id., *Cézanne, son art, son oeuvre,* Parigi 1936; G. Mack, *Paul Cézanne,* Londra 1935; L. Venturi, *Les Archives de l'Impressionnisme,* Parigi e New York 1939; E. Loran, *Cézanne's Composition,* Berkeley 1946; L. Venturi, *Come si guarda un quadro, da Giotto a Chagall,* Torino 1948; M. Raynal, *Cézanne,* Ginevra 1954; B. Taylor, *Cézanne,* Londra 1961; I. Taillandier, *Paul Cézanne,* Milano 1961; H. Read, *Breve storia dell'Arte Moderna,* Milano 1959; M. Merleau-Ponty, *Senso e non senso,* Milano 1962; id., *L'Oeil et l'Esprit,* Parigi 1964; id., *Le visible et l'invisible,* Parigi 1964; M. De Micheli, *Cézanne,* Firenze 1967; A. Martini, R. Negri, *Cézanne e il post-impressionismo,* Milano 1967; N. Ponente, *Cézanne,* Milano 1968; S. Orienti, *L'opera completa di Cézanne,* Milano 1970; M. Brion, *Paul Cézanne,* Milano 1972; J.-F. Lyotard, *Discours, figures,* Parigi 1972; id., *A partire da Marx e Freud. De-costruzione ed economia dell'opera,* Milano 1979; N. Ponente, *Cézanne,* Bologna 1980; *Cézanne e le avanguardie,* a cura di N. Ponente, Roma 1981; D. Ashton, *La leggenda dell'Arte Moderna,* Milano 1982; M. De Micheli, *Idee e storie di artisti,* Milano 1982; M. Schapiro, *Le mele di Cézanne,* in *L'arte moderna,* Torino 1982; id., *Cézanne,* Milano 1983; P. Handke, *Nei colori del giorno,* Milano 1985; F. Rella, *Limina,* Milano 1987; M. Hoog, *Cézanne, "puissant et solitaire",* Parigi 1989; *P. Cézanne,* a cura di R. Kendall, Novara 1989; D. Bernard, *Cézanne,* Milano 1990; H. Duchting, *Cézanne 1839-1906,* Colonia 1991; G. Plazy, *Cézanne,* Milano 1991; F. Rella, *L'enigma della bellezza,* Milano 1991.

Rocce nel bosco (1894-1898), particolare; New York, Metropolitan Museum of Art.

REFERENZE FOTOGRAFICHE

Tutte le foto pubblicate appartengono all'Archivio Giunti.

Art e Dossier
Inserto redazionale allegato al n. 75 gennaio 1993

Direttore responsabile
Valerio Eletti

Pubblicazione periodica
Reg. Cancell. Trib. Firenze n. 3384 del 22.11.1985

Printed in Italy
Stampa presso
A. Mondadori Editore SpA
Via Bianca di Savoia 12
Milano
Stabilimento di Pomezia
Via Costarica 11-13
Pomezia (Roma)
tel. 06/9122901

Iva assolta dall'editore a norma dell'art. 74/DPR 633 del 26.10.72

ISBN 88-09-76171-5